BLUE ISLAND PUBLIC LIBRARY

3 1237 00324 4770

013

To B
with love
for you
luwell wish

AUTOGRAPHED

DATE DUE

	MAY 2 0 2013		
DEC 0 8 2013			
			PRINTED IN

D1212784

Para la Biblioteca
de Blue Island.

con cariño

X. Ballesteros

FIL 2012

© del texto: Xosé Ballesteros, 2008

© de las ilustraciones: Juan Vidaurre, 2008

© de esta edición:

Kalandraka Ediciones Andalucía, 2008

C/ Avión Cuatro Vientos, 7 - 41013 Sevilla

Telefax: 954 095 558

andalucia@kalandraka.com

www.kalandraka.com

Impreso en C/A Gráfica

Primera edición: enero, 2008

ISBN: 978-84-96388-71-0

DL: SE 6308-2007

Reservados todos los derechos

GOBIERNO DE ESPAÑA   MINISTERIO DE CULTURA

Esta obra ha sido publicada con una subvención de la Dirección General del Libro,
Archivos y Bibliotecas del Ministerio de Cultura para su préstamo público en Bibliotecas Públicas,
de acuerdo con lo previsto en el artículo 37.2 de la Ley de Propiedad Intelectual.

BLUE ISLAND
PUBLIC LIBRARY

Xosé Ballesteros   Juan Vidaurre

Imagina animales

kalandraka

Han llegado a mi poder las instantáneas del profesor Vidaurre. Fotografías casi imposibles que ha recolectado en sus viajes por los lugares más recónditos del planeta. El misterioso sobre que he recibido contiene una carta de su puño y letra; en ella he podido leer una primera advertencia:

Mi abuela siempre me decía:
«Ten cuidado cuando salgas por ahí». ¡Y qué razón tenía!
Con el paso de los años he podido comprobar que hay más peligros de los que uno puede imaginar.
Bichos que nos acechan, animales que nos vigilan sin que nosotros nos demos cuenta de su mirada.
No sabemos de sus intenciones, pero su sigilosa presencia nos inquieta.
Con mucha paciencia y buen ojo, os pongo en antecedentes de unos cuantos animales
que he podido descubrir después de muchas noches en vela.

Yo sí que me imagino al profesor Vidaurre «ojo avizor» bajo la luna amazónica, o abrigado hasta la nariz para combatir el frío polar. Noches vividas en los cuatro puntos de nuestro planeta como un cazador furtivo, sin más arma que su cámara digital. En esas situaciones límite ha visto sin ser visto y, casi sin darse cuenta, ha sido el quien ha acechado, sigiloso, a estos animales –hasta ahora anónimos– que hoy os presentamos.

A partir de sus fotografías he investigado durante varios años en videotecas, hemerotecas y pinacotecas de distintos países. Y ahora, por fin, os muestro algunos de los que ha retratado el profesor Vidaurre.

Para Íñigo, por su afición
a las herramientas y a los animales.

El **abrenoches**

En la gran Selva Negra vive el abrenoches. Su jornada se inicia cuando la luna asoma sobre el espesor del bosque. En ese momento, mientras el primer rayo baña las hojas de los árboles, el abrenoches estira sus alas de color acero y comienza su trabajo. Bajo su mirada, todos los animales descansan, porque saben que el gran guardián vigila sus sueños. Ardillas, conejos, ratones de campo, erizos, topos o lagartos, duermen tranquilos: El abrenoches vigila.

Ningún animal lo teme, salvo los zorros y los lobos, pero todos respetan su sabiduría. La luna, en lo más alto del cielo, brilla hasta el amanecer, cuando el abrenoches se va a dormir.

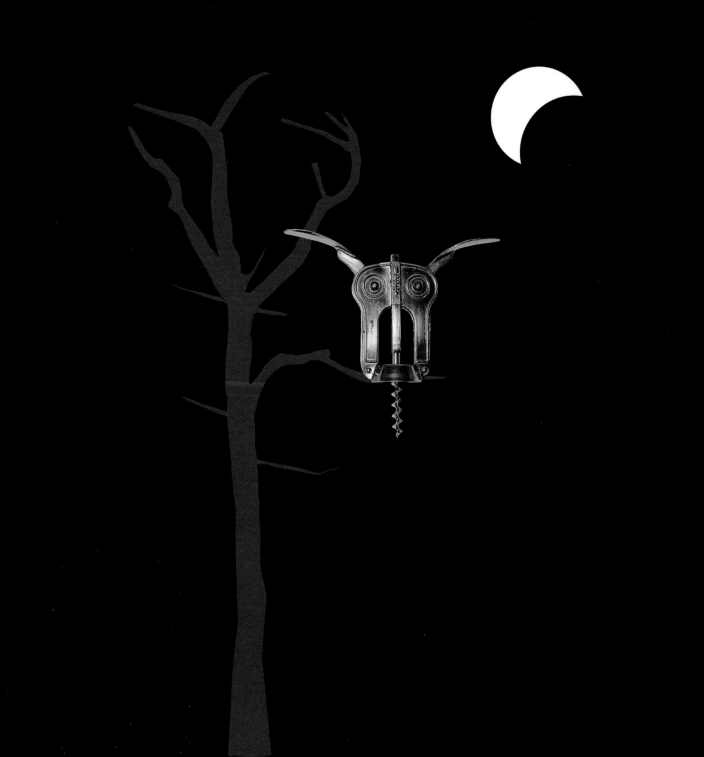

El **metrocol**

Son famosas las carreras de metrocoles en los bosques de los países del norte. En ellas, el color de su concha, rojo carmín, destaca sobre el verde del musgo o bajo las lechugas silvestres. Su cuerpo, numerado y cornudo, puede estirarse hasta cinco centímetros cuando se acerca a la meta.

En los días soleados, el metrocol se revuelca con gusto sobre la tierra y deja tras de sí una baba espesa de más de un metro de largo. Cuando llueve, se refugia en su concha y se dedica a operaciones aritméticas. En las tardes de otoño y primavera, el metrocol, siempre en rebaño, toma medidas.

El **tibulatas**

En lo más profundo de las aguas del océano Pacífico vive el tibulatas. No es un pez grande, pero se come al más chico cuando no tiene otra cosa mejor que llevarse a la boca. El tibulatas es un pez carroñero que se alimenta de los barcos hundidos. Su apetito voraz sólo se sacia después de rebañar un buen doble casco, o un bidón metálico, o un contenedor entero. Cuando no tiene comida a la vista, la busca: se pega al fondo de los barcos cargueros y roe durante horas en el casco metálico con su boca de acero. Si encuentra una hendidura, por pequeña que sea, la convertirá en vía de agua.

Los últimos estudios de la Universidad de Illinois confirman que el hundimiento del Titanic no fue cosa de icebergs, sino de un gran banco de tibulatas.

El **picopato**

En lo más frondoso del parque de Doña Ana vive el picopato. Es un ave de plumas lisas y brillantes, bañadas por un barniz de charol. Su tarea diaria consiste en picotear, de forma incansable, la corteza de un árbol jugoso: el clakero, de sabor a goma arábiga. Su picoteo, también conocido como «taconeo», es constante en las noches de luna llena.

En sus pocas horas de ocio, el picopato suele volar de rama en rama y de flor en flor, en bandadas pequeñas. En las tardes de mucho calor se cobija junto a las aguas mansas del parque y, al llegar la noche, comparte veladas ruidosas con los rosados flamencos.

La **maricierra**

En las tórridas tardes de las tierras cercanas al desierto de Gobi, nada se mueve, nada se oye, salvo el suave aleteo de la maricierra. Este insecto de la familia de las avestillas, se posa sobre las puertas de las yurtas de los nómadas y allí permanece, como una lapa, hasta el atardecer, soldando con su jugo metálico todo resquicio de entrada o salida.

Los habitantes de estas tierras temen a la maricierra y nada pueden contra ella porque su cuerpo es de acero. Su único consuelo y esperanza, si quedan encerrados en su yurta, es que llegue pronto la noche. Un crujido metálico les avisará que el frío del desierto ha helado al bicho. La puerta está abierta pero, cuidado: mañana puede llegar otra maricierra.

El **platafín**

En las aguas del océano Atlántico, cercanas al archipiélago de las Islas Afortunadas, se cobija el platafín. Aunque vive toda su vida en la mar salada, el platafín no es un pez, sino un mamífero. Su piel, verde limón al nacer, va cambiando de color con los años, hasta alcanzar el amarillo canario en su madurez. El platafín es un animal muy difícil de ver, que huye de los barcos de pesca como de la peste. Un sistema propio de ondas concéntricas lo hace indetectable a los radares humanos. En raras ocasiones, cuando pierde el rumbo y se confunde, puede ser avistado desde la costa.

Nadie hasta ahora lo ha contado, pero se sabe que en las noches muy oscuras, los platafines se acercan a las pateras y cayucos provenientes de África, y los guían hasta las playas de las islas. Después se sumergen entre las aguas dejando tras de sí un aroma a vainilla salada.

El **pingüitor**

El pingüitor vive sobre el casquete polar ártico y sobre el casquete polar antártico, o viceversa, según como se mire. Siempre viaja en pareja, o en trío, o en grupo, pero nunca va solo. Sus colores, el blanco y el negro, definen su carácter. El pingüitor o tiene frío, o tiene calor; no conoce los matices calóricos, ni los cromáticos, ni los coléricos. O es blanco, o es negro; o es *on*, o es *off*. En invierno, al pingüitor se le pone la cara como «de entierro». Sólo se comunica con sus congéneres por pingüisílabos y apenas come unos cuantos gramovoltios al día. Por el contrario, cuando llega el verano, todo son risas y cantos. Todo es luz y alegría. Se deslizan en rebaño hasta las aguas cristalinas y se bañan entre chispas y energía desatada.

En esos días, los pingüitores se cargan las pilas y pueden llegar a engordar más de diez kilovoltios.

La **serpellera**

En las tierras del sur de Asia nace, crece y se reproduce la serpellera. Es un reptil que viaja lentamente a través de selvas y arrozales y se introduce por canales de riego hasta llegar a las ciudades. Allí, a través de cloacas y caños se adentra en las fábricas textiles y se cobija en sus bajos fondos, para buscar comida y procrear. De noche, cuando el último turno de operarias apaga las luces, la serpellera se refugia entre telas. De día, las manos artesanas la confundirán con otra cosa, y la colocarán, bien cosida, en pantalones, faldas o abrigos. La serpellera, que se alimenta de hilos, poliéster y algodón, viajará muy cómoda en barcos mercantes hasta llegar a almacenes, comercios y, por fin, limpios hogares de Europa y Norteamérica.

Así que ¡anda con ojo! y fíjate bien en tu ropa sintética. Puede que la fría lengua de una serpellera acaricie cualquier día tu nuca, pero no temas: sólo estará midiendo tu altura.

La **fregulpo**

También conocida como la mochopatas, la fregulpo es un animal urbano de costumbres nocturnas. Aunque en apariencia cefalópodo, la fregulpo es realmente un gran arácnido, emparentado con la terrible tarántula de la selva salvaje, pero en este caso es inocuo. Suele vivir en los chalés adosados, comercios de ropa y colegios de primaria. Se alimenta de aguas turbias y suelos húmedos, que recorre de noche en compañía de cucarachas y otros bichos domésticos.

En los meses de verano o de contumaz sequía, casi pasa inadvertida pero, cuando llegan las lluvias, la fregulpo se reproduce con gran rapidez, dejando su rastro en los trasteros. Su gran momento llegará siempre con las riadas o inundaciones; en esos casos extremos, la fregulpo se convertirá en una plaga, pero inofensiva.

El **pajador**

El pajador es un ave migratoria que viaja de norte a sur y de sur a norte, según el sol que más caliente. Su vuelo silencioso, tan elegante como el del águila, suele pasar inadvertido a los humanos, porque es un ave de alturas.

Al contrario que el Ave Fénix, el pajador nunca renace de sus cenizas. Por eso evita volar sobre crematorios o conflictos bélicos. También es un experto en evitar efectos colaterales y reuniones en la cumbre. El pajador se alimenta de fuegos fatuos y auroras boreales, aunque tampoco le hace ascos a un buen parqué.

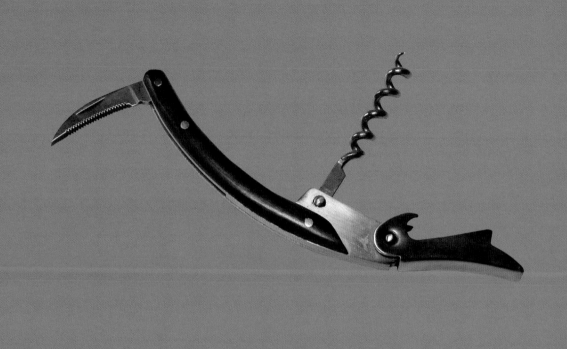

El **torotenaz**

En las dehesas andaluzas vive el torotenaz. Su cuerpo férreo destaca entre los alcornoques y los prados, con la cabeza siempre erguida. Sabe que su destino está marcado «a fuego» y que la muerte lo espera, algún día, entre el sol y la sombra a las cinco de la tarde. Pese a eso, el torotenaz insiste en aprender poemas y coplas para cantarle a las mujeres toquilladas y a los hombres bombilleros que le gritarán «olé».

El querría decirles que le duele, que cada puyazo le duele en las entrañas, pero sabe que su muerte es arte y será paseada a hombros de poetas, pintores, y hombres de negocios. Por eso se resigna tenazmente y sólo pide que se rece una oración por su alma de animal atenazado.

La **llavecilla**

Ave urbana de la familia de las secretonas, que suele hacer su nido en cofres, cajas de música o cajones olvidados. Si, azarosamente, se encuentra con un cortaplumas, formarán pareja en un abrir y cerrar de ojos.

La llavecilla podría hablar, al igual que lo hacen los loros o los papagayos, con solo memorizar palabras humanas; pero es muy introvertida y nunca pasará de emitir algún chirrido. Se alimenta de aceite «tres en uno» y de bolas de alcanfor. Las llavecillas son aves muy espirituales y entre ellas no guardan ningún secreto.

Hasta aquí, esta muestra de animales casi desconocidos.

Un pequeño bestiario en el que figuran: el abrenoches, el metrocol, el tibulatas, el picopato, la maricierra, el platafín, el pingüitor, la serpellera, la fregulpo, el pajador, el torotenaz y la llavecilla. Todos ellos, si estáis atentos, no volverán a pasar desapercibidos ante vuestros ojos si os cruzáis en su camino.

Pero recordad que otros miles de bichos, aún anónimos, viven a nuestro alrededor... Ellos también están atentos a nuestros más insignificantes movimientos. ¿Sabéis la razón? Los humanos somos su mayor y gran peligro.

Así pues, me permito despedirme con un consejo que seguro aprobará el profesor Vidaurre: la diversidad de la naturaleza es maravillosa. ¡Ayudemos a mantenerla!